ILLUMINATION PRESENTS

DESPICABLE ME 3 ™

Jumbo
Coloring and Activity Book

UNIVERSAL
A COMCAST COMPANY

ILLUMINATION
ENTERTAINMENT

www.despicable.me   #DespicableMe

Despicable Me 3 is a trademark and copyright of Universal Studios. Licensed by Universal Studios. All Rights Reserved.

bendon®

© 2017 Bendon. The BENDON name, logo and Tear & Share are trademarks of Bendon Ashland, OH 44805.

BUST A MINION

Break the Secret Code

Use code key to decipher the message.

CODE KEY

11	21	31	41	51	61	71	81	91	01	12	13	14
A	B	C	D	E	F	G	H	I	J	K	L	M

15	16	17	18	19	10	27	37	47	57	67	77	87
N	O	P	Q	R	S	T	U	V	W	X	Y	Z

___ ___ ___ ___ ___
21   19   11   27   27

___ ___ ___ ___
51   47   91   13

___ ___ ___ ___ ___ ___
71   51   15   91   37   10

BALTHAZAR BRATT

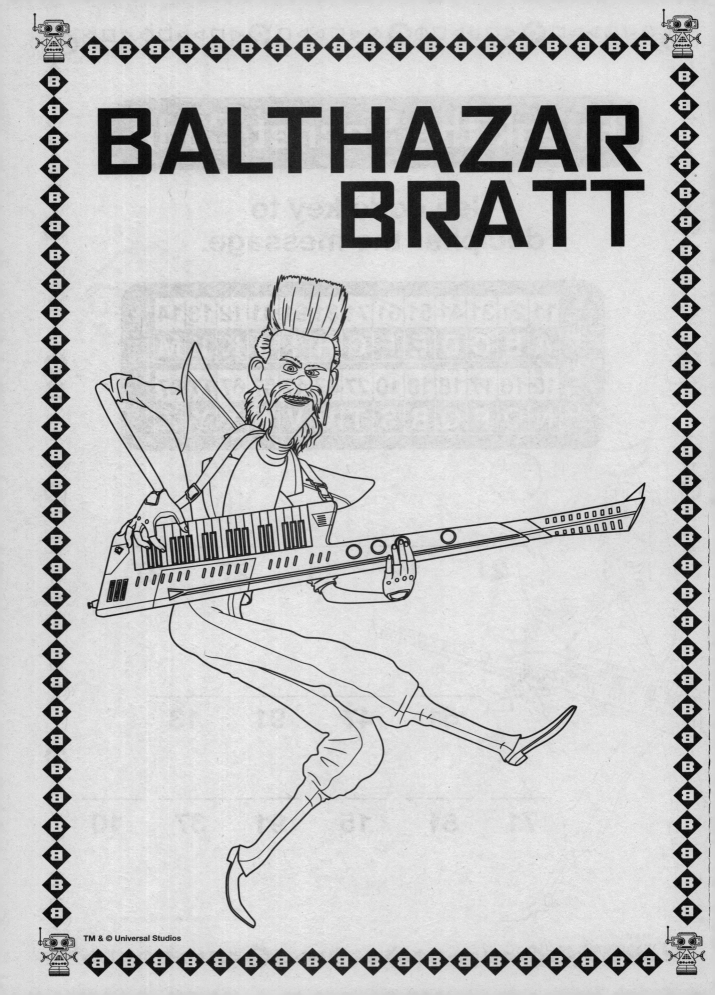

FEEL THE LOVE

One In A Minion!

Draw yourself as a Minion character!

Which Path?

Which line leads to Mel!

Ⓐ　　　　　Ⓑ　　　　　Ⓒ

Answer: ☐

MEH...

AGNES

DRAW CARL

Using the grid as a guide, draw the picture in the box below.

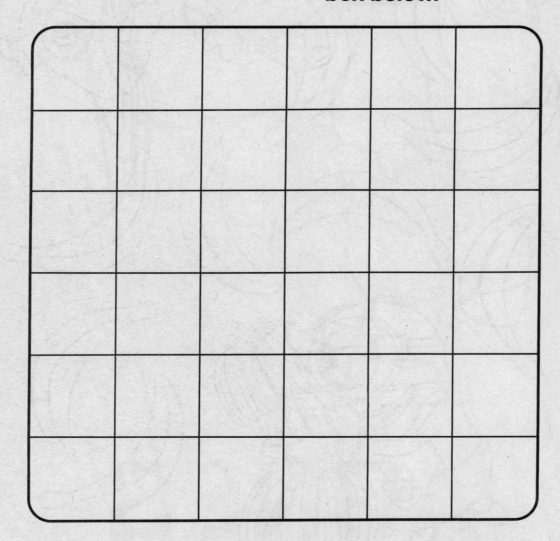

Going Bananas!

How many bananas can you find?

Which One?
Which Minion is different?

A.

B.

C.

D.

ANSWER: D

EDITH

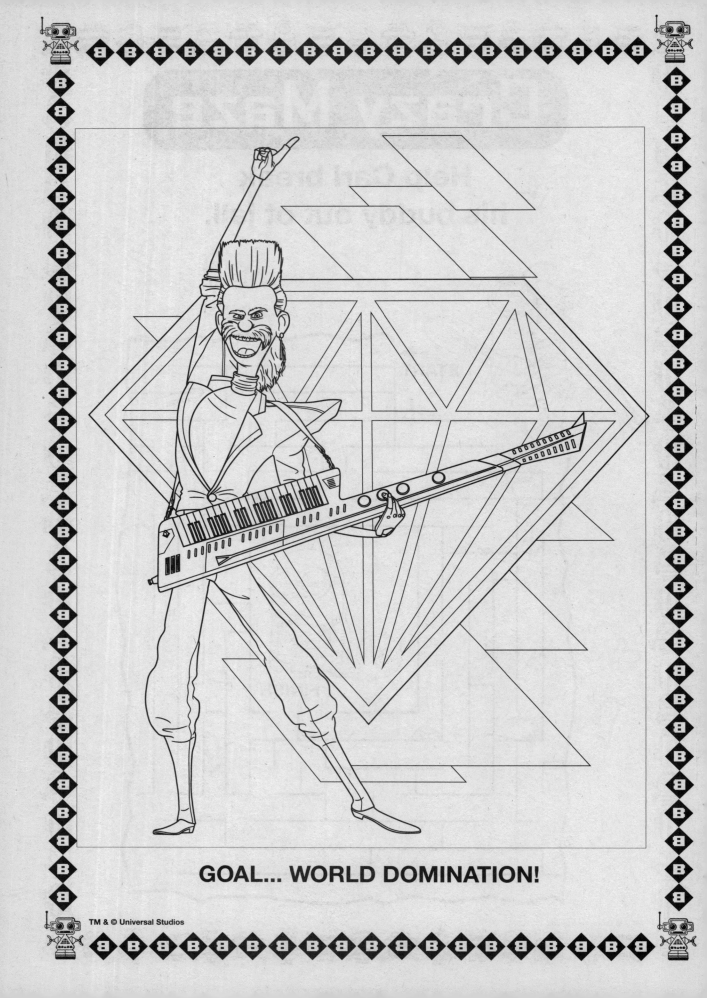

GOAL... WORLD DOMINATION!

What's Your Spy Gadget?

Draw your very own spy gadget!

Crazy Maze

Help Gru through the maze!

↓
START

FINISH

I'VE GOT MOVES YOU HAVE NEVER SEEN.

DRAW LUCY

Using the grid as a guide, draw the picture in the box below.

How many words can you make from the letters in:
GRU'S CREW

_____ 　 _____

_____ 　 _____

_____ 　 _____

_____

_____

_____

_____

_____

_____

_____

_____

SQUARES

Taking turns, connect a line from one icon to another. Whoever makes the line that completes a box puts their initial inside the box. The person with the most squares at the end of the game wins!

example

YELLOW BELLO

UNSCRAMBLE

BRATT
EVIL GENIUS
DOMINATION
MASTERMIND
KEYTAR
CLIVE

Using the words from the list, unscramble the letters to spell the names and words.

1. TBRTA _____

2. VEILC _____

3. ELVI SINGEU _____

4. RTYAEK _____

5. IERMDATSNM _____

6. MTOODNAINI _____

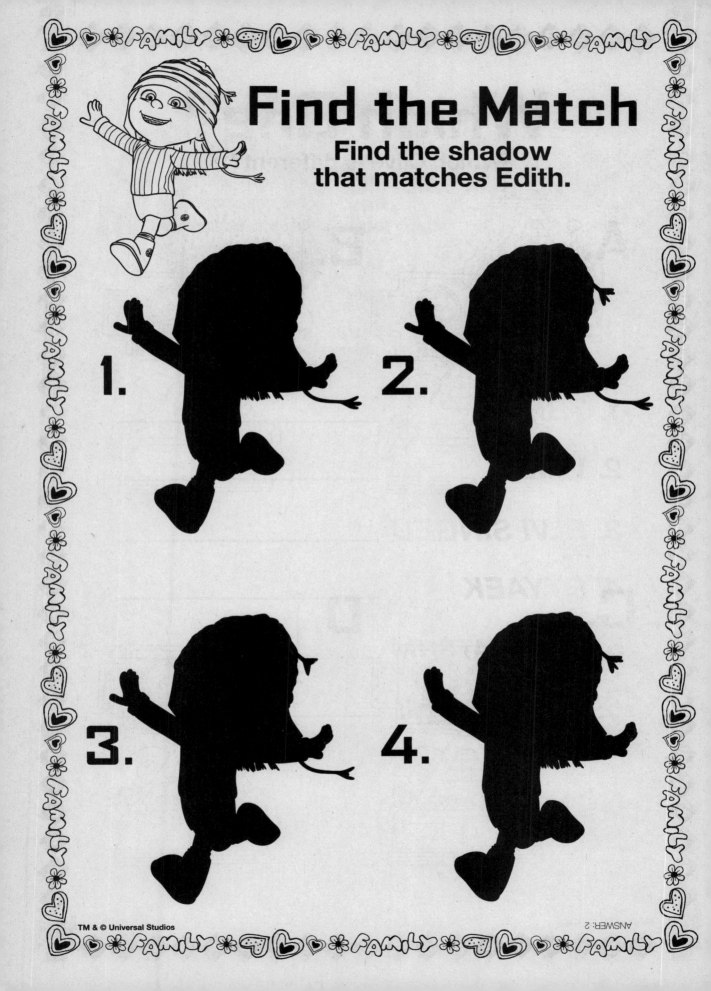

Find the Match
Find the shadow that matches Edith.

1.

2.

3.

4.

ANSWER: 2

Which One?

Which Clive is different?

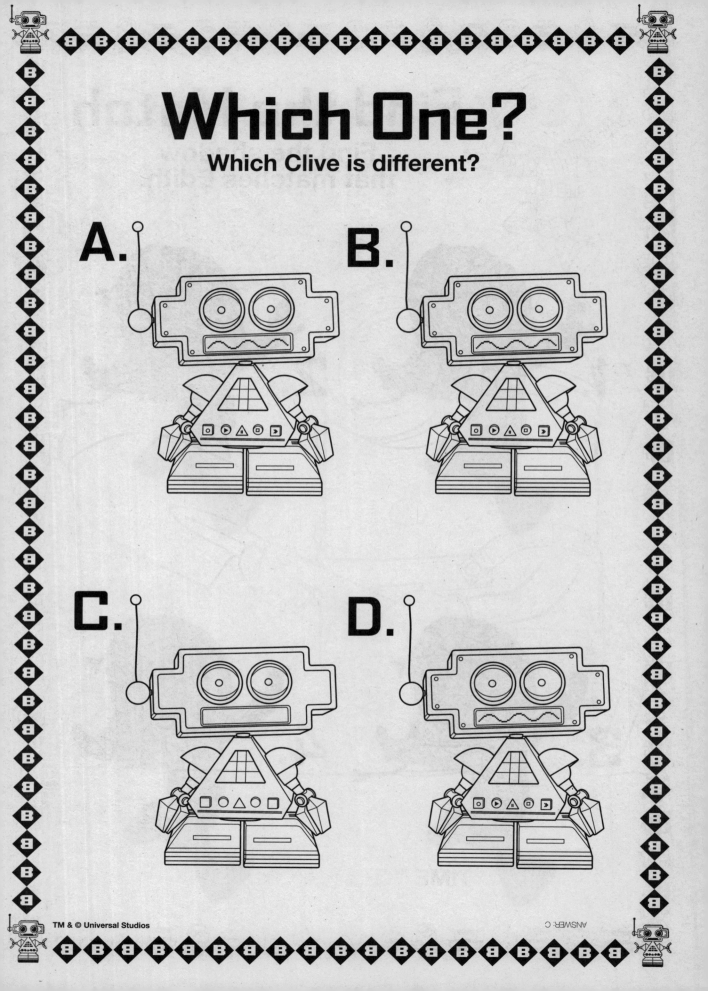

A.

B.

C.

D.

ANSWER: C

TIME TO BREAK OUT

TIC#TAC#TOE

Each player will alternate putting and X or an O in any of the nine sections of the grid. The player who gets 3 in a row wins.

SQUARES

Taking turns, connect a line from one icon to another. Whoever makes the line that completes a box puts their initial inside the box. The person with the most squares at the end of the game wins!

example

CLIVE

VACATION OR BUST

UNSCRAMBLE

KYLE
SILAS
FRITZ
FLUFFY
VALERIE
NIKO

Using the words from the list, unscramble the letters to spell the names and words.

1. KION _____

2. FZTIR _____

3. IVELEAR _____

4. SLSAI _____

5. UFYFLF _____

6. LYKE _____

UH-OH...

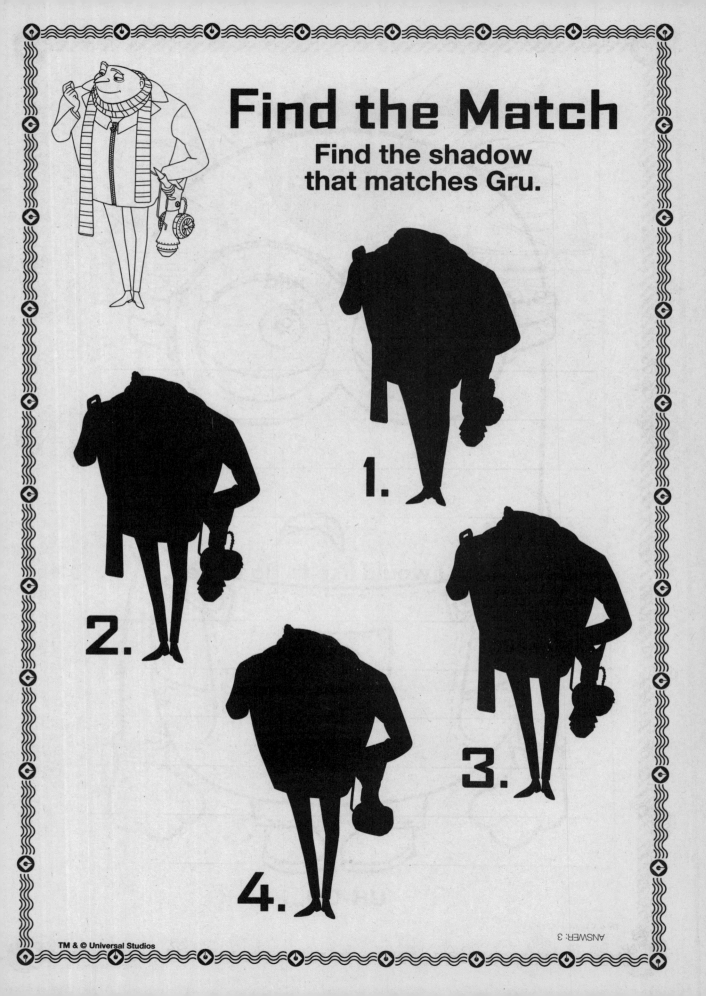

Find the Match
Find the shadow
that matches Gru.

1.

2.

3.

4.

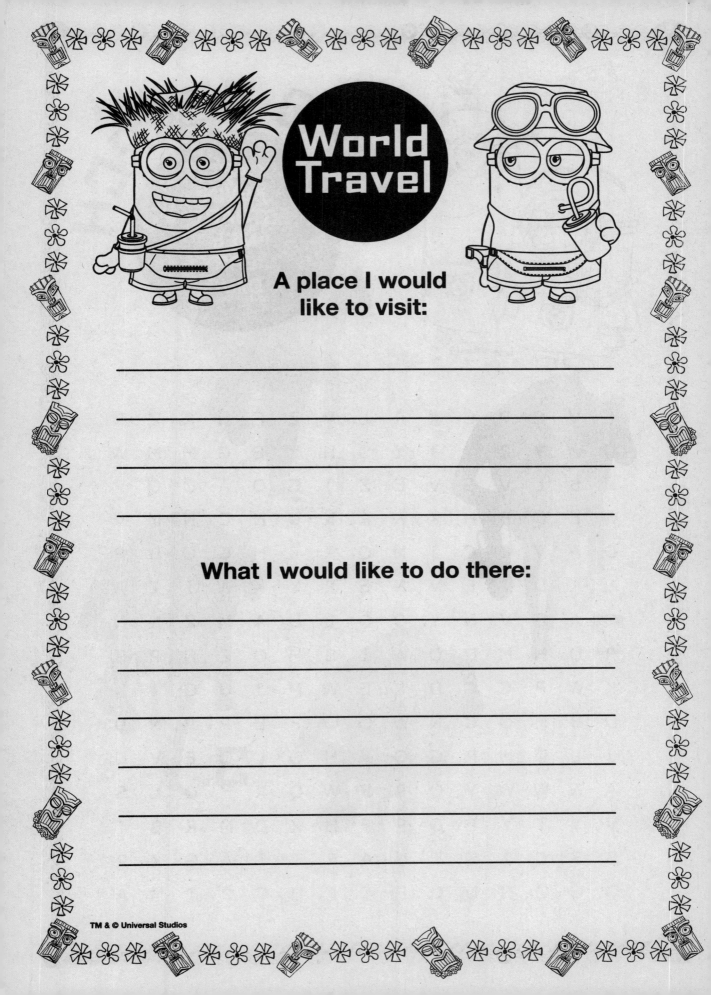

World Travel

A place I would like to visit:

_____

_____

_____

_____

What I would like to do there:

_____

_____

_____

_____

_____

WORD SEARCH

CARL
KEVIN
STUART
MEL
JERRY
DAVE

```
L V C P C X R L V Z E H R Z R
U W Y Z Y J J S H Y E G M M W
K B L V G V E Z J G O A D Q P
W E Q B H X W R K U N C N M V
D A V E C J M Q R F H G G U P
L K D I E V N E R Y K W I Z W
O A B V N Y Q O L U A M Z N N
R D M M U O W I B H Q Z N P S
K W P C C D L E W M J U G I K
D B M O C N W O W F E P P N D
J L U M R G Q K H Q L Q E V U
A W W W Y Q P S W Q X Y O L S
V Y T Y P Q P F H X D M R B T
B S C I S T U A R T I A G X R
O G Z G U C E C F H C P T M A
```

SLURP

DANCE LIKE YOU MEAN IT.

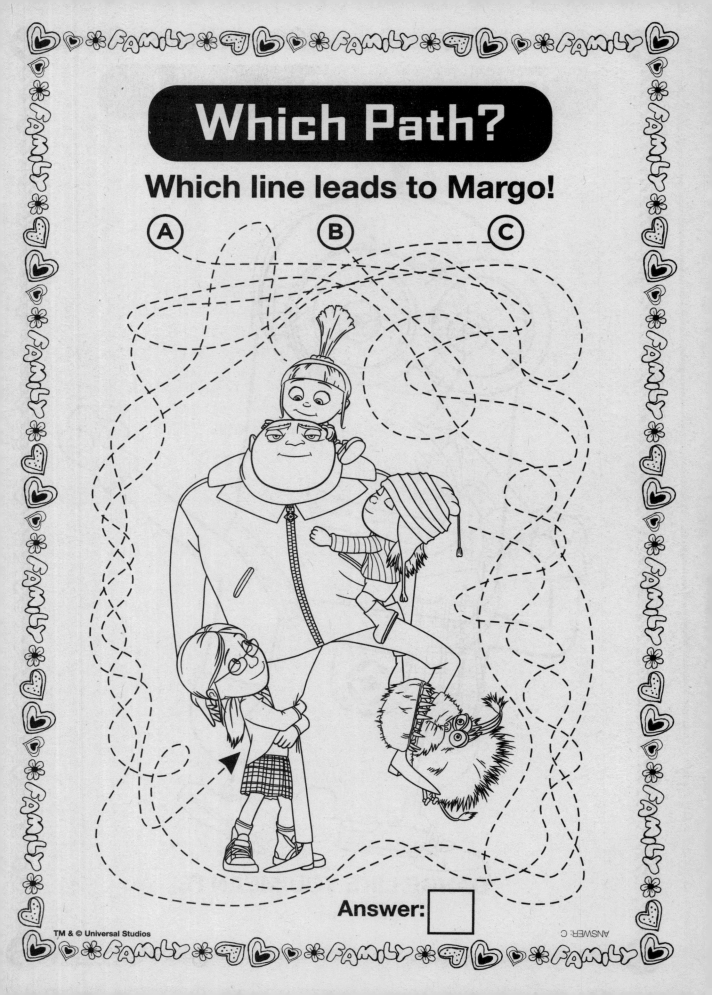

Which Path?

Which line leads to Margo!

Ⓐ   Ⓑ   Ⓒ

Answer:

ANSWER: C

Finish The Drawing!

Complete the drawing of Margo!

IT'S GOOD TO BE A MINION.

KYLE IS GRUMPY.

Which piece is missing?

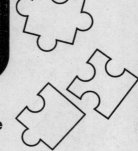

Only one of the puzzle pieces below will fit.
Can you find the missing piece and complete
the puzzle?

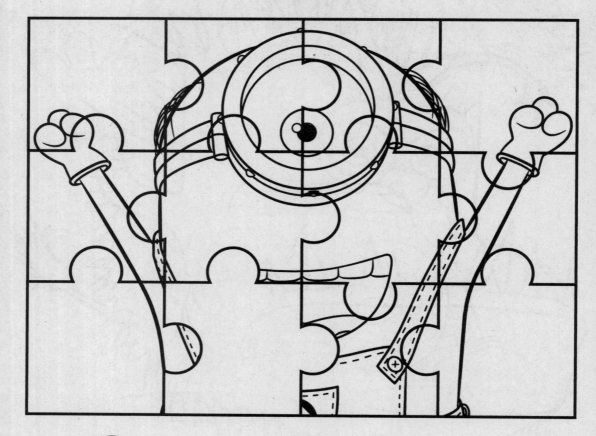

1. **2.** **3.**

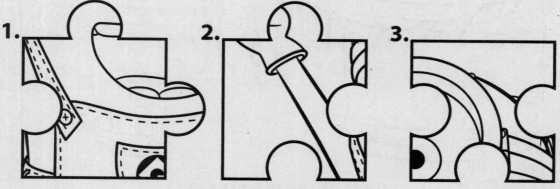

FEEL THE BEAT

DRAW KYLE

Using the grid as a guide, draw the picture in the box below.

WORD SEARCH

GRU
LUCY
FAMILY
MARGO
AGNES
EDITH

T P U S B F R G Z K C X W O Q
U I U P Y P N Q I O Y T A U H
D R P U Y M O S R J V Z Z K W
G C K C B F J X B R Z M V C W
Y U E R C O A P J A H L T R K
I T R V G E G M V T D O U W H
J S W R L A O F I J X U F O V
I W A S Q T E D Z L X C W U K
R M F K A P E I B J Y W M U S
Z J D K S B F Z G Y A V H Y M
T V R E X J A V P L U P O R O
B N N H H O T V C J G Y N D T
M G I M C D N I R K W E N M O
A E Y N Q M E O Y J X L K Q R
U X X I J U L U C Y X B B X V

Find the Match
Find the shadow
that matches the Minion.

1.

2.

3.

4.

TM & © Universal Studios

GRU

Go Dark

Crazy Maze

Help Dave and Jerry reach
Tom at the center of the maze.

FINISH

START

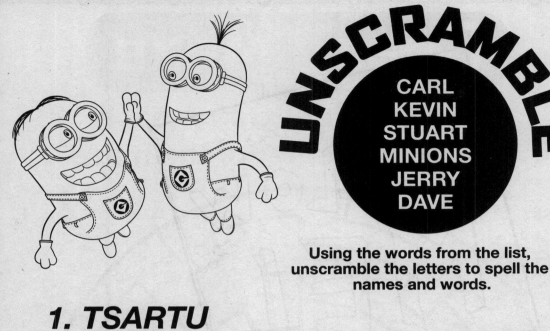

UNSCRAMBLE

CARL
KEVIN
STUART
MINIONS
JERRY
DAVE

Using the words from the list, unscramble the letters to spell the names and words.

1. **TSARTU** _____

2. **ACLR** _____

3. **EADV** _____

4. **SNNOIIM** _____

5. **REYRJ** _____

6. **VEKNI** _____

LET'S REVOLT!

GRU AND DRU ARE COMPLETE OPPOSITES.

DRAW EDITH

Using the grid as a guide, draw the picture in the box below.

STRIPES ARE IN

TIC#TAC#TOE

Each player will alternate putting and X or an O in any of the nine sections of the grid. The player who gets 3 in a row wins.

SQUARES

Taking turns, connect a line from one icon to another. Whoever makes the line that completes a box puts their initial inside the box. The person with the most squares at the end of the game wins!

example

Which Path?

Which line leads to Gru!

A   B   C

Answer:

99% ADORABLE, 1% DESPICABLE

YELLOW IS THE NEW BLACK

BELLO

Which One?

Which Minion is different?

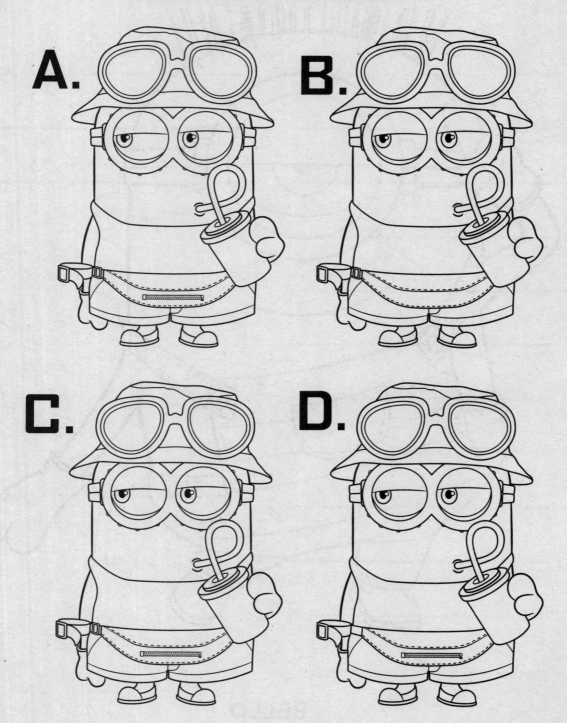

A.

B.

C.

D.

How many words can you make from the letters in:
DESPICABLE ME

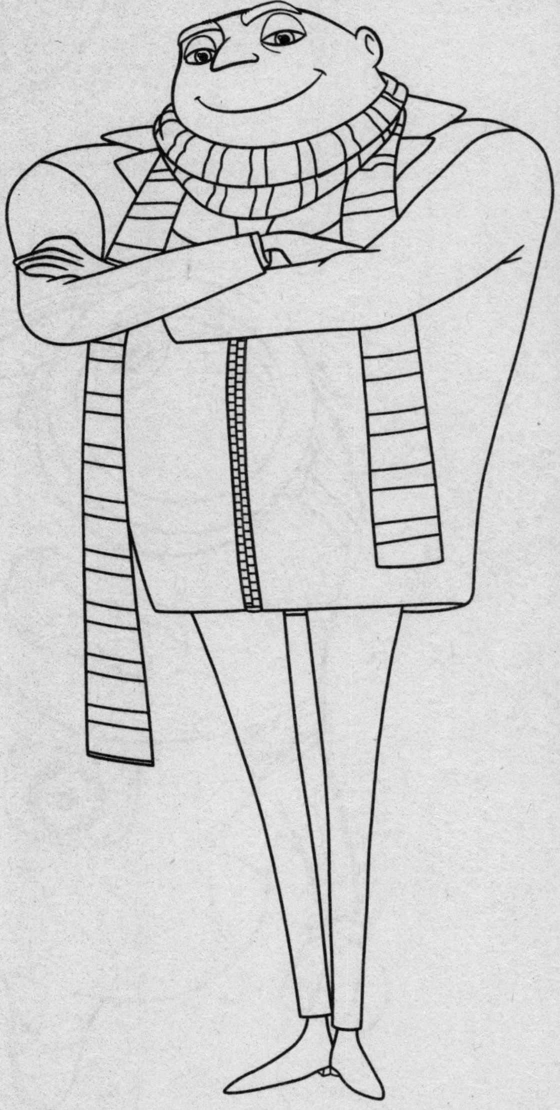

_____   _____

_____   _____

_____   _____

_____

_____

_____

_____

_____

_____

_____

_____

BA-NA-NA!

Each player will alternate putting and X or an O in any of the nine sections of the grid. The player who gets 3 in a row wins.

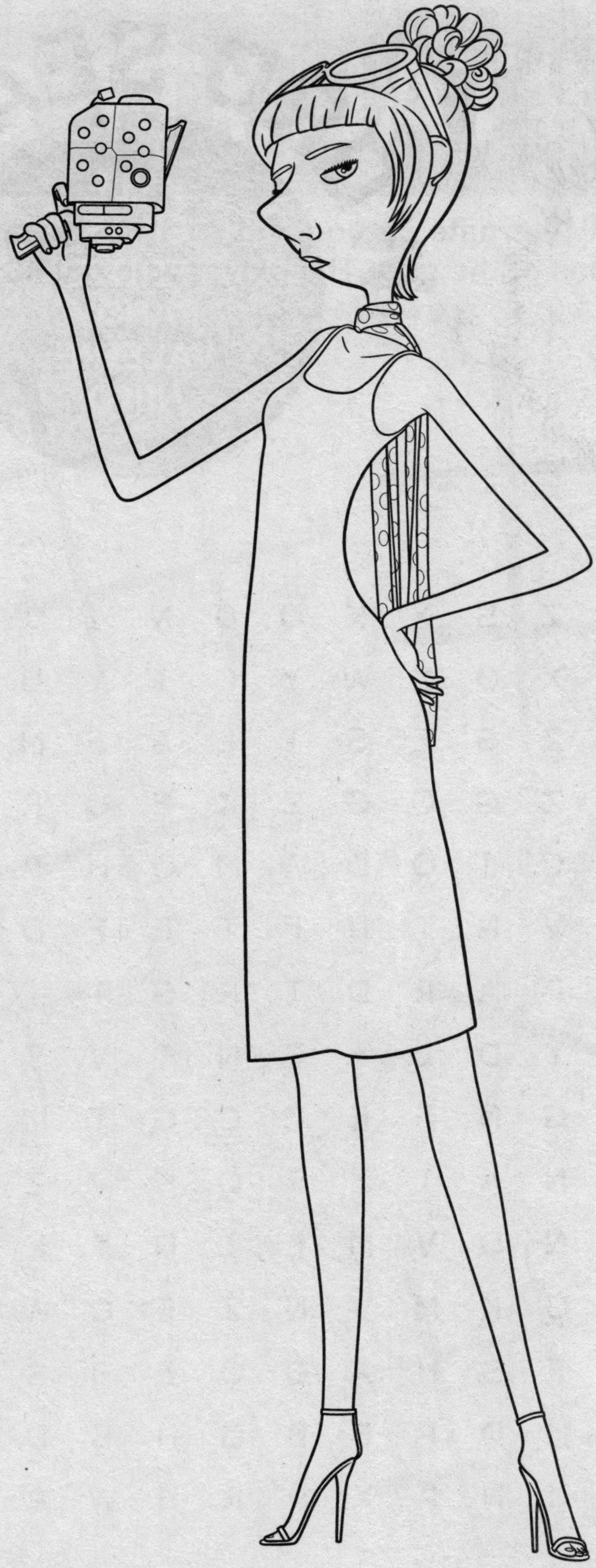

WORD SEARCH

KYLE
SILAS
FRITZ
PAPOY
VALERIE
NIKO

```
E Y U I Z S X K Q D N J J X K
H S L U X O X W Y C I Y U U I
Z S K S Z S E S I L A S M W G
I M E E Z G O G Z K E Q R U K
Y R L A C J Q D W M Q H P B W
N P X V N T U F T E F D V S
N G T S P A R D T R G T T J W
L D L W Y D L F F N I V S A P
C M J W G N F E C C G T M B G
G W L F N A I Z R Q K V Z F G
L X T P N D V M L I N I K O F
Y F T A Q K M V N Z E O W X M
V Y J P F S H X Q O E B S H O
B G P O H D P E B G H S D H X
I Z V Y U N R X P R H W P D Q
```

Finish The Drawing!

Complete the drawing of Gru!

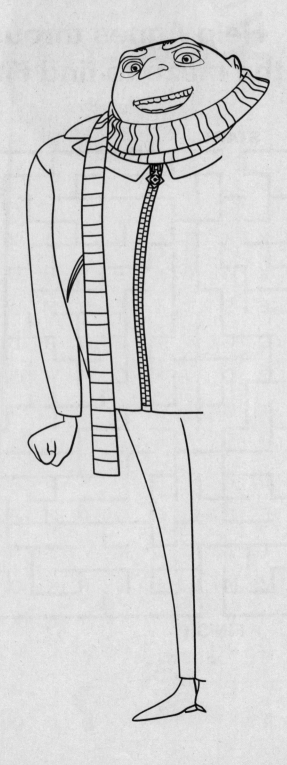

Crazy Maze

Help Agnes through the maze to find Fluffy!

↓
START

FINISH
↓

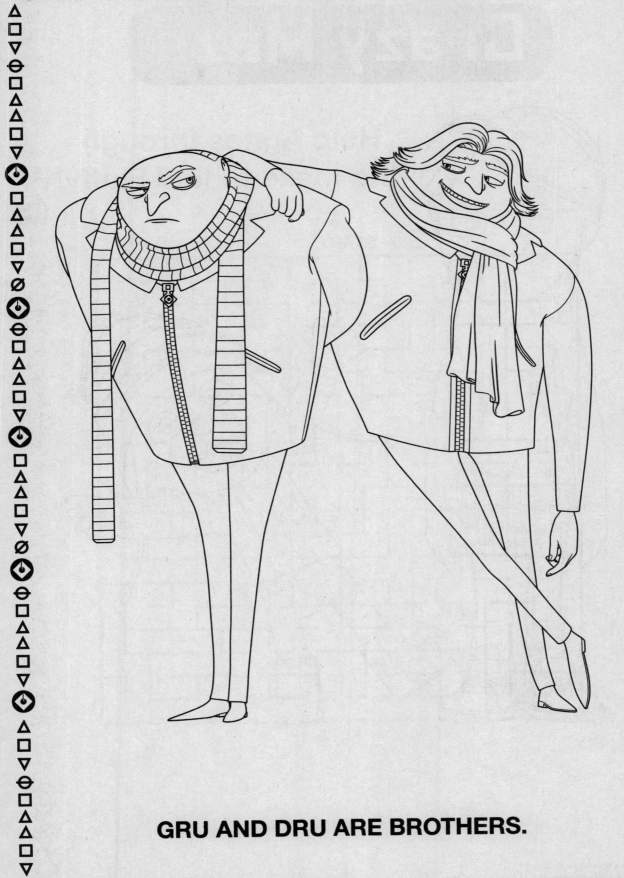

GRU AND DRU ARE BROTHERS.

DRU

Crossword Puzzle

Using the word list, complete the crossword word puzzle below.

WORD LIST:

BANANA   AGNES   SPY

MINION   EDITH   LASER

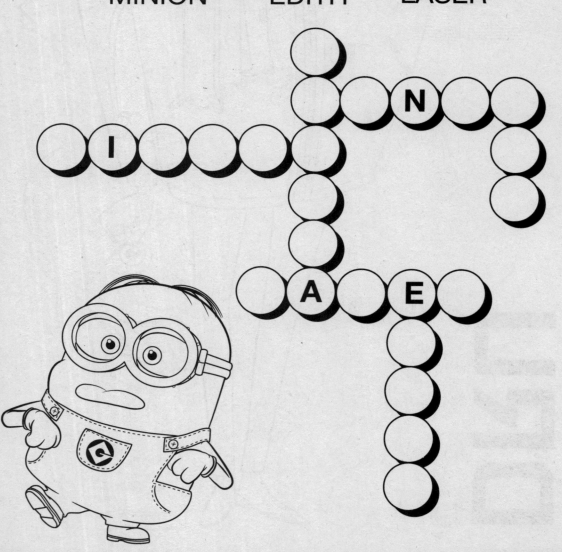

Which One?

Which one of these things is Agnes' favorite?

A.

B.

C.

D.

ANSWER: D

MARGO

Which Path?

Help Agnes find the path that leads her to Lucky!

A

B   Answer: ☐

C

D

E

WORD SEARCH

BALTHAZAR
EVIL GENIUS
FREEDONIA
CLIVE
PIGS
DRU

```
R H J P U J S X I W R Y Z R C
Q D I L Z U H N V M G D U C Z
S Y Q C G X P X A R G N D S J
W N X S L S E V V O Z K U W C
N V N W E I Y K C I U I O U E
B W B Q O S V T H W N I H E F
L F A G L V J E A E D N T T A
Y R L B B T N K G P A F F K H
I E T F Y Q J L D Q W O L W I
V E H G R V I T G R F O U I I
M D A T W V Q O G Z U L Y N F
E O Z Z E T S R H P Z U H K W
O N A E D X W C H X I E G S E
D I R Y X M I B N C Z G X G O
V A F M O E E V G G Z E S W S
```

Find the Match
Find the shadow that matches Margo.

1.

2.

3.

4.

UNSCRAMBLE

GRU
LUCY
DESPICABLE
MARGO
AGNES
EDITH

Using the words from the list, unscramble the letters to spell the names and words.

1. ANSGE _____

2. ULYC _____

3. URG _____

4. AGRMO _____

5. EAEDLPCSIB _____

6. IETDH _____

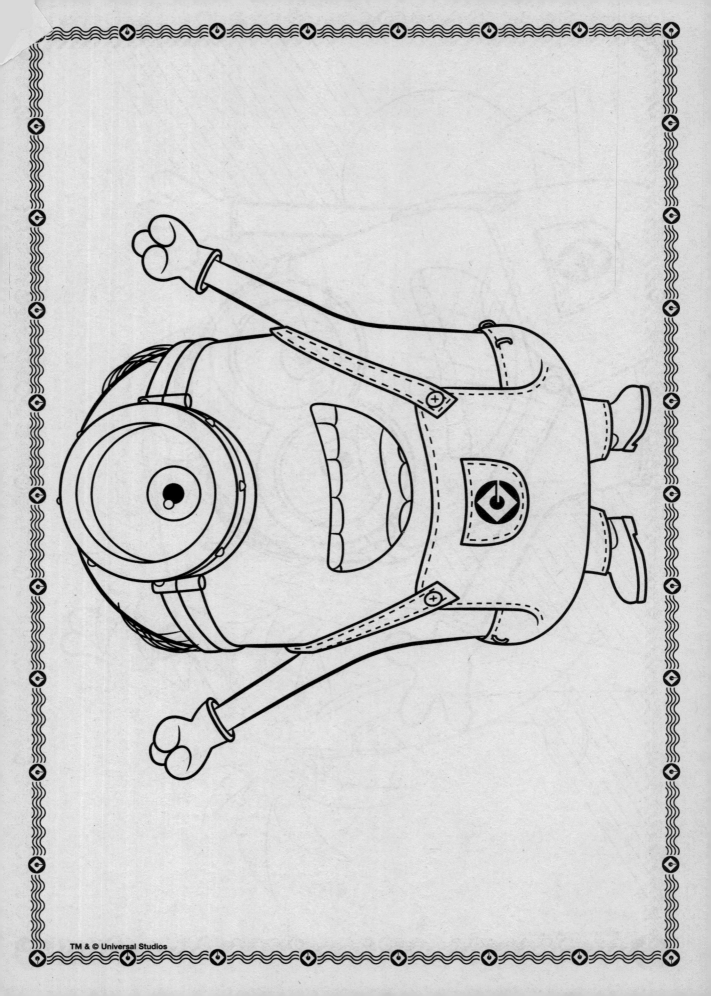

JERRY

TIC#TAC#TOE

Each player will alternate putting and X or an O in any of the nine sections of the grid. The player who gets 3 in a row wins.

SQUARES

Taking turns, connect a line from one icon to another. Whoever makes the line that completes a box puts their initial inside the box. The person with the most squares at the end of the game wins!

example

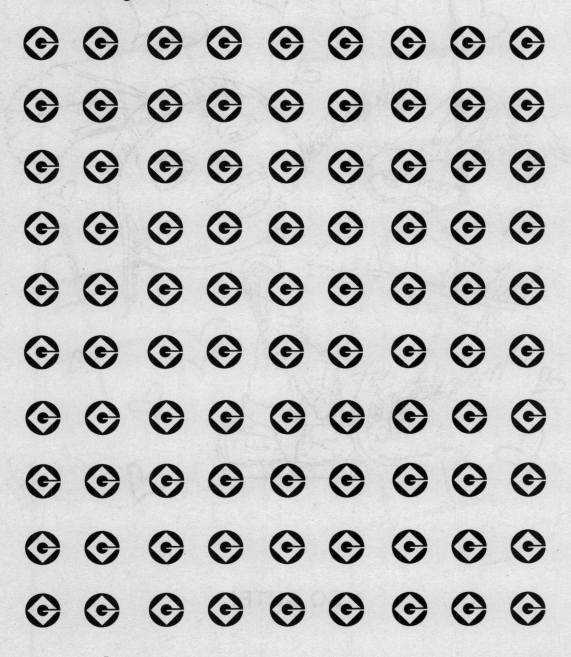

SO CUTE!